Choubi Choubi

mon chat tout petit

1

KONAMI KANATA

Sommaire

Un chaton nommé Choubi-Choubi

MIAOU !

FRISH
FRISH

ALLONS BON...
FLOOOP

COMME TU ÉTAIS PETITE, À L'ÉPOQUE !

JE M'EN SOUVIENS ENCORE...

VOILÀ TA NOUVELLE MAISON !
TIENS, POUR TOI.
POF
SNIF
SNIF
SNIF
ZOUIP

TIPI
TIPI
TIPI
SNIF
SNIF
SNIF
ZOUIP

TIPI
TIPI
TIPI
SNIF
SNIF
SNIF

ELLE N'ARRÊTE PAS DE DÉAMBULER ...
TIPI
SNIF
SNIF
SNIF
TIPI
TIPI
TIPI
TIPI

RIEN NE L'EMPÊCHE DE S'ALLONGER, POURTANT...

VOYONS VOIR...
HOP-LÀ...

PETITE !
TU VIENS ?
MI ?

ZOOOH
MIAH !!!
BOING
MI ?
MAIS ?

VIENS LÀ.
TAP
MIAH !
BOING

ALLEZ !
VIENS !
VIENS LÀ !
TAP
TAP
TAP
BOING
BOING
BOING

MAIS VIENS !
DASH

MIAAH !!!
VROOOOM
VIENS, J'TE DIS !
TAPATAPATAPA

VIENS ME VOIR.
Huf

Huf
Huf
Huf
Huf
Huf

BATA
BATA
BATA

HOP !
VROOOOM
PAF
...
MI-
SÈRE
...
ELLE NE
M'APPRÉCIE
PAS DU
TOUT...

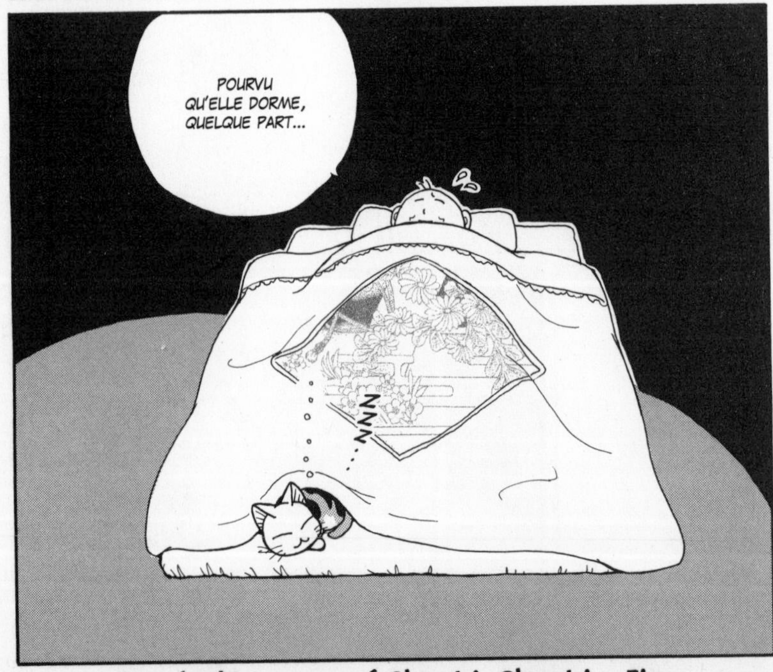

Un chaton nommé Choubi-Choubi – Fin

Difficile de sévir...

PLIF
OUH LÀ...

SLURP
SLURP
SLURP
SLURP

MIAA !
PLIFA
PLIFA
PLIFA

AAARGH !!!
MIAA ! MIAA !
PLOUFA
PLIFA
PLIFA
LAIT

MI ?

VILAIN PETIT !

MI ?
ZIP

...

COMMENT POURRAIS-JE RESTER FÂCHÉE...

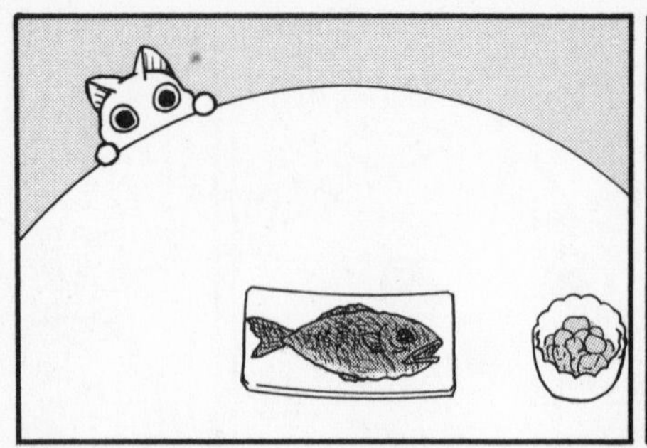

PATAM
PATAM
HM ?

GNii
GNii

GNii
GNii
GNii
ZOU-ZOU-ZOU

AAARGH !!!
iiCK

VILAIN PETIT !

DASH

...

HAA...
COMMENT POURRAIS-JE RESTER FÂCHÉE...

FLAPA
FLAPA
MIAAH !
BONITE SÉCHÉE EN FLOCON
FLAPA

AAAARGH !!!

Difficile de Sévir... – Fin

Choubi Choubi
mon chat tout petit
De l'eau et des bulles
ROLL ROLL
TU ES TOUTE CRAS-SEUSE !
MII !

LAISSE-MOI TE FAIRE UN BRIN DE TOILETTE.
MI ?

FLAP
RON RON

PSHH...

MIH !?!

PILE À LA BONNE TEMPÉ-RATURE.
PSHHHH...
MIII !

PSHHHHH...

HOP !
MIAAH !!!
SPLASH !

Haa...

GALING
GALING
GALING

SHAMPOOING DOUX

PROUITCH...

MI ?
ZOU

SLURP
SLURP
SLURP

MOUSS
MOUSS

MOUSS
MOUSS
MOUSS

MI ?
POF...
LÀ, LÀ, TU VAS ÊTRE TOUTE PROPRE...

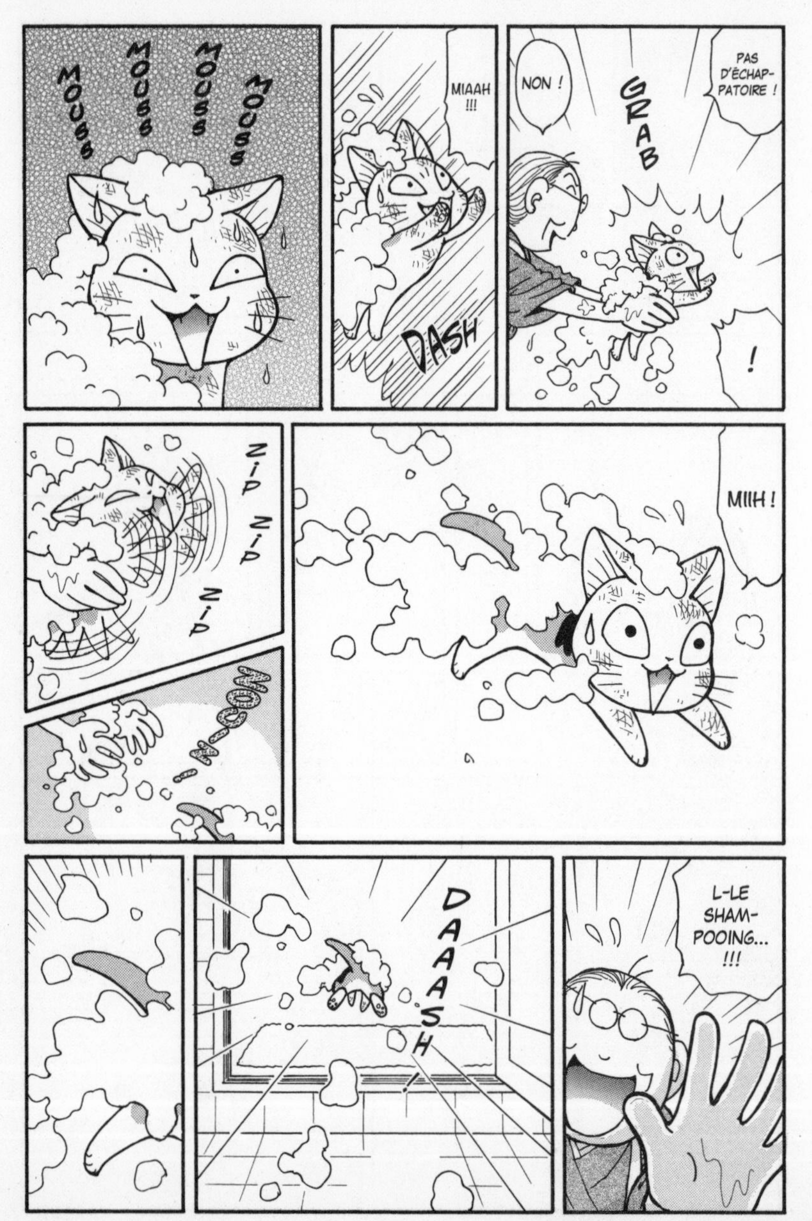
MOUSS
MOUSS
MOUSS
MOUSS
MIAAH !!!
DASH
NON !
PAS D'ÉCHAPPATOIRE !
GRAB
!
ZIP ZIP
ZIP
MIIH !
DAAAASH !
L-LE SHAMPOOING... !!!

REVIENS ! REVIENS ICI !
VROOOM
MIII !
MIIIH !
MAIS ENFIN... !
VROOOOM
Huf
Huf
ATTRAPÉE !
MIIIH !!!
MI !
PSSHH
BONK
PSSHHH
SPLASH
SPLASH
PAF
PIF
AÏE !
MIA-ARGH !!!
ÇA SUFFIT, ALLONS !
MIII !
WOOOSH
Huf
Huf
ET VOILÀ !
Toute belle
Toute douce

De l'eau et des bulles – Fin

Les mystères des câlins

VROOOM !

OH...

Huf

FROT FROT

RON RON RON

AH !

!
FROT FROT

MIH !
BOING

OH...

FROT FROT
RON RON

NYUU...
RON RON RON
AH !

!
FROT FROT FROT FROT

FROT FROT
MII ?
MIH !
BOI...
...
FROT FROT
...
FROT FROT
FROT FROT FROT
MI...
FROT FROT
RON RON
RON
RON
FROT FROT
RO... RON...
FLOP

MII !

MI !

HM ?
MI ?

FLAP
MI ?

MI ?
MI ?
MI ?

MIII !
ÇA PAR EXEMPLE ...
TU QUÊMANDES DES CÂLINS, MAINTENANT ?

Les mystères des câlins – Fin

Choubi Choubi mon chat tout petit

On m'appelle ?

VROOOOM

MI ?
OH !

ELLE RÉPOND À SON NOM !
MUNCH
MUNCH
MUNCH

FLAPA
FLAPA
FLAPA

CHOUBI-CHOUBI !

CHOUBI-CHOUBI !

MI !

CHOUBI-
CHOUBI
!

TROT TROT TROT TROT

OOH !
MI ?

QUELLE INTELLIGENCE ! ELLE RECONNAÎT BIEN SON NOM !
FROT FROT

NOURRITURE POUR CHAT
MUNCH MUNCH MUNCH

CHOUBI-CHOUBI !
CHOUBI-CHOUBI !

MUH ?

CHOUBI-CHOUBI !

MI ?
TAP TAP TAP
OOH ! OOOH !

TU RÉPONDS TOUJOURS À MES APPELS, MAINTENANT !
FROT FROT

?

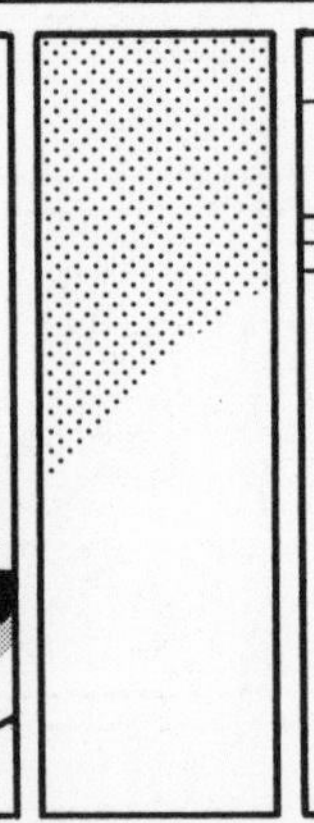

CHOUBI-CHOUBI !

CHOUBI-CHOUBI !

CHOUBI-CHOUBI !

STOMP STOMP
STOMP

ET LA VOILÀ !

JE SUIS SI HEUREUSE QUE TU VIENNES À CHAQUE FOIS !

MII... ?
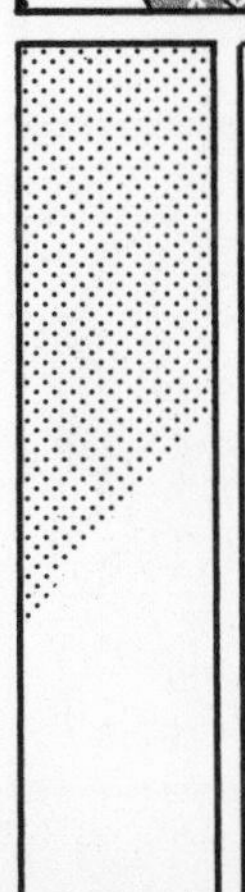

CHOUBI-CHOUBI !
CHOUBI-CHOUBI !

CHOUBI-CHOUBI !
CHOUBI-CHOUBI !

On m'appelle ? – Fin

Choubi
mon chat tout petit
Choubi

Choubi Choubi mon chat tout petit
Cibles mouvantes
MI !
PLOC

SUUUU...
MII !
HOP !
ZWISH
MI.
PLOC
SUUUU...
MIII !
HOP !
ZWISH

MI !
PLOC

FLIP
FLIP

FLIP
FLIP
FLIP

FLIP
FLIP

MIA !

MIII !
BOING !

Swiish

TAP TAP
TAP

MI...

TAP
TAP
FLAP
FLAP

OH...
J'ALLAIS OUBLIER !

ZOUP
FLAP

BOING !
MIII !

Zwish
MIII...
TAP
TAP
TAP
FLAP
FLAP
MI !?!
TAP
TAP
TAP
FLAP
FLAP
FLAP
FLAP

Cibles mouvantes – Fin

Choubi Choubi
mon chat tout petit
Une minette en été
CRI CRI
CRI

MI !?!

HI HI !

GRIP

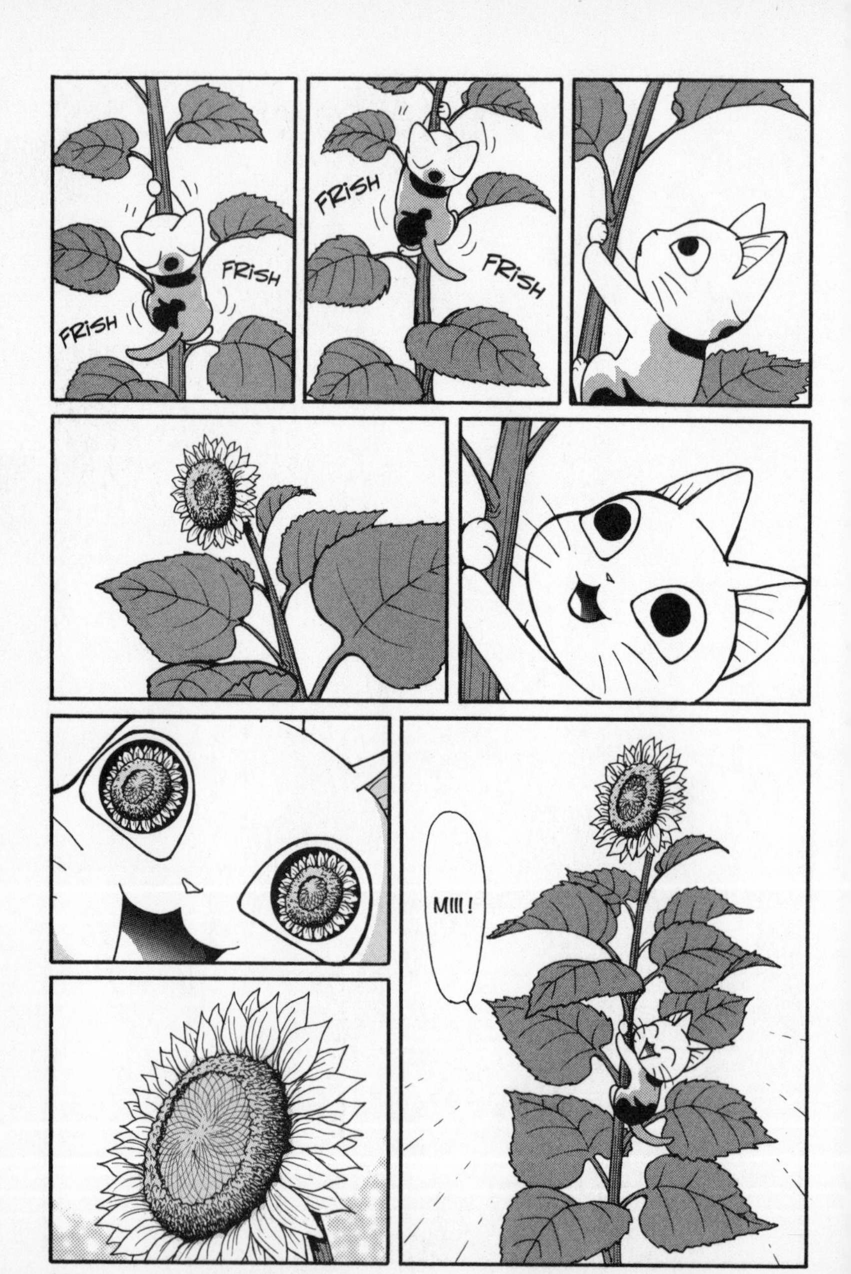
FRISH
FRISH
FRISH
FRISH
MIII !

MI !?!

MIIH !
SPLISH

MI !?!
MIIIH !
SPLISH

MI ?
PSHH...

PSSSHHH...

MI !?!

MIHI !

PLOC

SPLISH

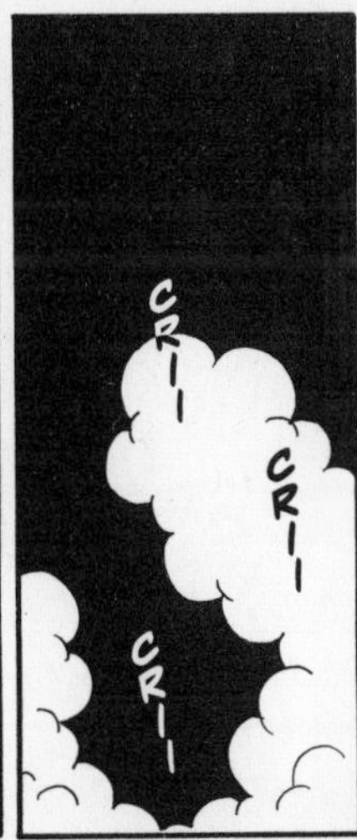
CRI
CRI
CRI

MI !
MI !
MI !
ZOUP
ZOUP
ZOUP

Une minette en été – Fin

Du devoir de sieste

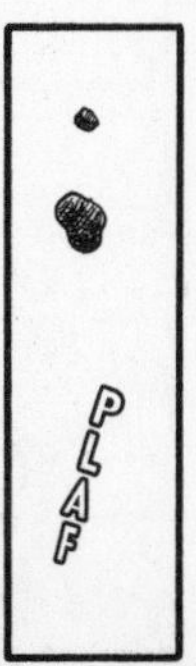

SBLOF

OH ?

PIOUUU...

...NNN

OH
LÀ LÀ !

GN...

BIEN.
ET MAIN-
TENANT,
RANGEONS
UN PEU.

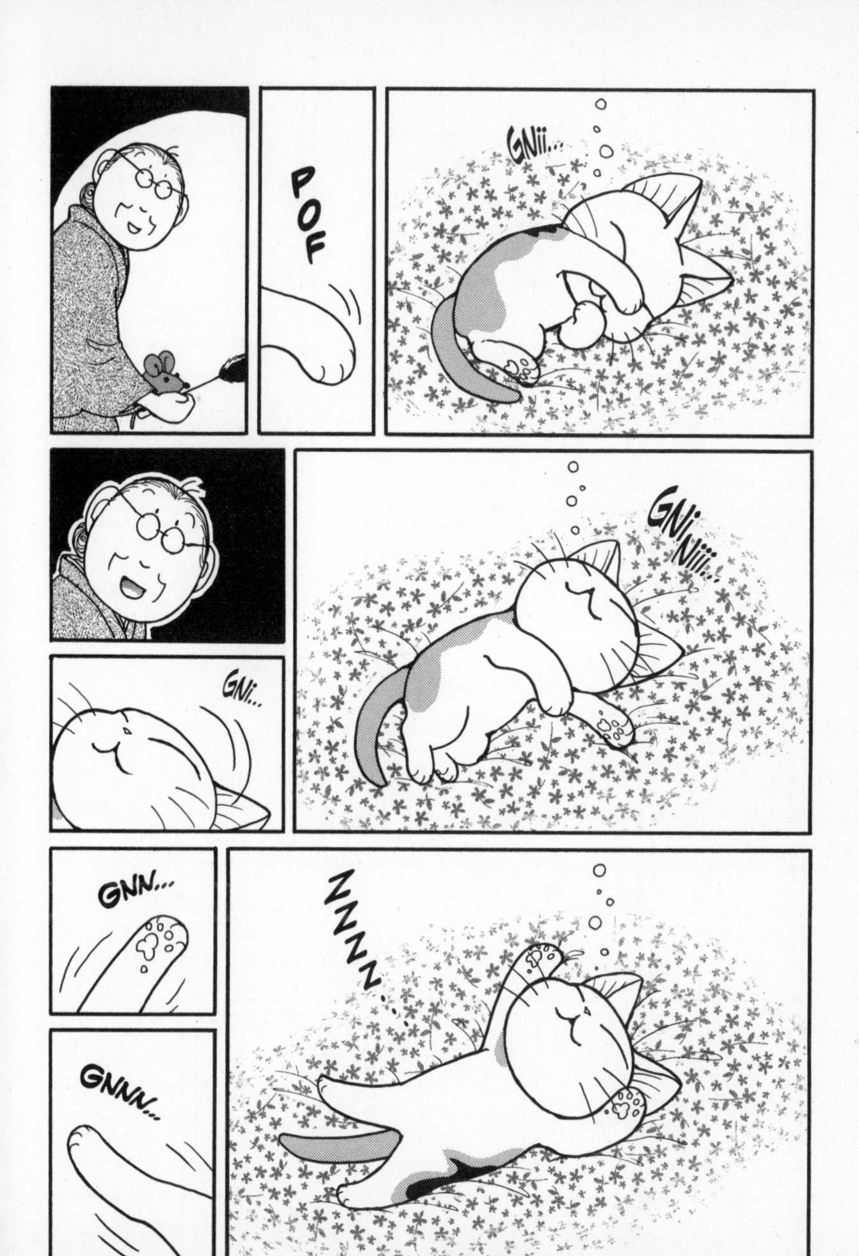
GNii...
POF
GNi Niiii...
GNi...
ZZZZ...
GNN...
GNNN...

ZZZ...
Piouuu...
FUAAAH...
Ki
Ki
Ki
Ki
Ki
Ki
GNNIAA... !
MI !?!

...NNN

PIF
PIF

...NNN

PIO uuu...
MIAAAA...

NNN...

ZZZ...

Ki
Ki
Ki Ki
Ki
Ki

Ah !

ZUT, JE ME SUIS ENDORMIE !
ET MON RANGEMENT, IL NE VA PAS SE FAIRE TOUT SEUL !
ALLEZ, ZOU...

Du devoir de Sieste – Fin

Choubi Choubi mon chat tout petit

Attention : canicule !

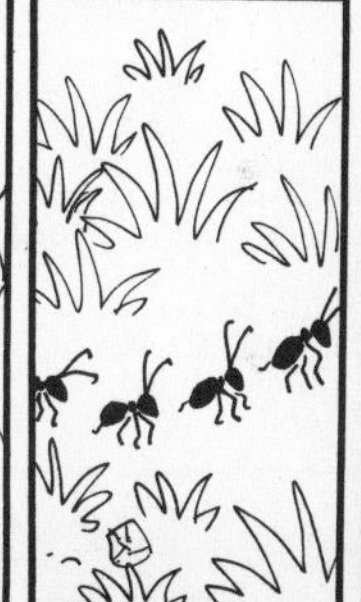

CLING
CLING
CLING
PSSH...
PSSH...
CLING
CLING
CLING
PSSH...
PSSH...
PSSH...
PSSHH!!...
MIIAAH !!!
MII...
CRI... CRI...
CRI... CRI...
MI?
UN...
CRI... CRI...

PLOC

PSSHH PSSHH PSSHH PSSHH

MIHIII !!!
PSSHH
PSSHH
PSSHH
MI!
MI!
MI!
VROOOOM
VROOOM
FLAP FLAP
MII!
GRAB
HOP
MIIAH ...
ZOUIP...
MI ?

MIIH !
ZOUP
SBLAF
MI !
FRISH
FRISH
FRISH
FRISH
HAA !
MIAH !?!
CLING
CLING
PSSHH
PSSHH
TCH
TCH
TCH
MI-HIIII...
Han...

Attention : canicule ! – Fin

L'apprentissage du griffoir

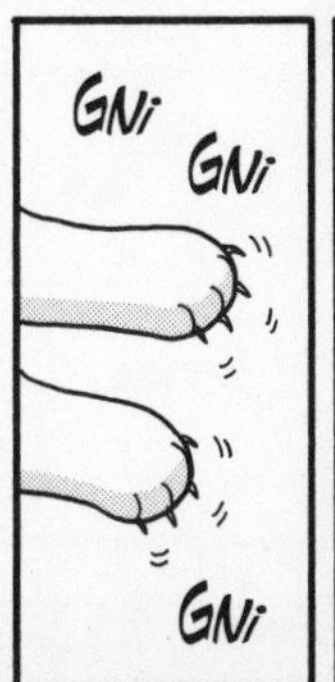

SHLA
GRAT GRAT
GRAT GRAT
AH !

DASH
GRIFFOIR

TIENS, TU PEUX FAIRE TES GRIFFES LÀ-DESSUS !

MI ?

QUOI ?
POM POM POM POM

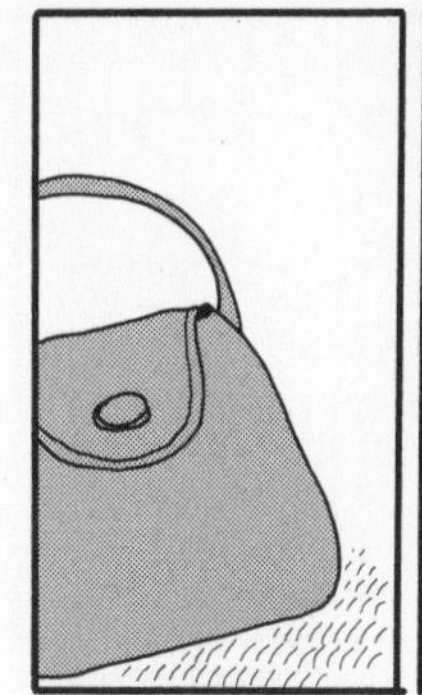

MI !

GRAT
GRAT
GRAT
AHHH
...

HOP

POF

C'EST ICI QUE TU PEUX GRIFFER...

MI ?

OH...
POM POM POM

MI !

GRAT GRAT GRAT

LÀ, LÀ...
HOP

POF

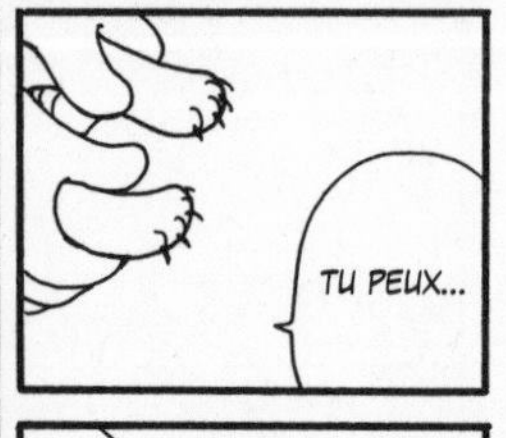
TU PEUX...

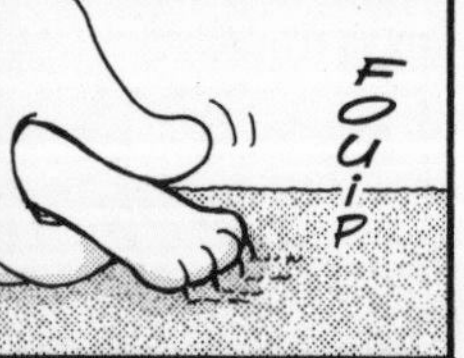
FOUIP

FAIRE TES GRIFFES ICI...
TU VOIS ?
FOUIP FOUIP

OUI C'EST ÇA, C'EST ÇA !

WOAH
MI !

BRAVO ! TU AS RÉUSSI !

MI ?

TIP TIP TIP...

L'apprentissage du griffoir – Fin

Choubi Choubi
mon chat tout petit

OUAAH !

Petits chats, grande aventure

FRISH
FRISH
FRISH
FRISH
MIA ?
FLAPA...
FLAAAP...
TAP
NOOOOH
!

VRO OOM
MIIH !!!
Huf
Huf
Haf
Huf
Haf
Haf
Huf
ZOOOOH
Haf
Haf
Haf
MI ?

MII !?!

VROOOOOOM
MIIIH !!!

Huf
Huf

Huf
MI !
HOP
HOP
MIOU !
HOP
HOP
MI !
MIAOU !
MI ?
ZOOOOOOH
MIA-AAH !

MIH !
MIH ! MIH !
MIAOU ! MIAOU !

MI !?!

ME-OOW ?

...
...

GRAB

MIIH !

CHOUBI-CHOUBI !

ZYEUTE ZYEUTE
CHOUBI-CHOUBI !
ELLE EST TROP PETITE, JE NE LA RETROUVE PLUS...

Petits chats, grande aventure – Fin

Halloween ? Quésaco ?

MIAA !!!
DASH

MIAAH !!!
ÏÏÏCK
OH.

FIIIXE

TU VOIS ?
PAF
PAF
TOUT VA BIEN. APPROCHE !
ZIP

MI?

CHOUBI-CHOUBI !
QUE DIS-TU DE CECI ?
REGARDE BIEN !
FLAP FLAP

FLAP
FLAP
FLAP

MIII !
HOP

GRAB

PAF

PATAF

PATAF
PATAF
PATAF
TAP
TAP
TAP
SUPER

TU PRÉFÈRES LA CHAUVE-SOURIS, HEIN ?
ROLL
ROLL
ROLL

ZIP
ZIP
ZIP
ZIP
ZIP
ZIP
ZIP
ZIP
ZIP
ZIP

Huf
Huf
Huf
Huf
MIAAH ...

MII...
FLOP

MI?

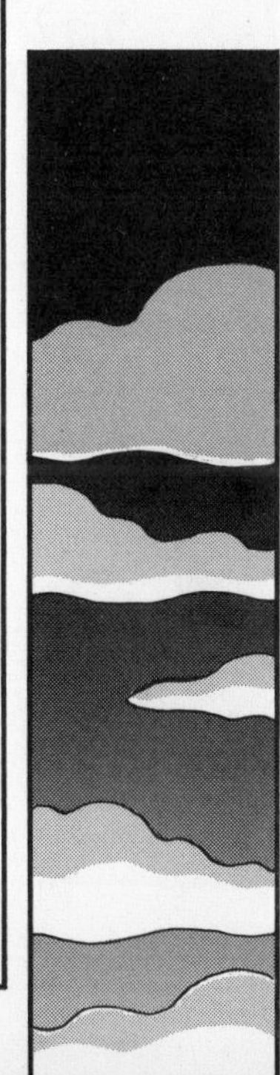

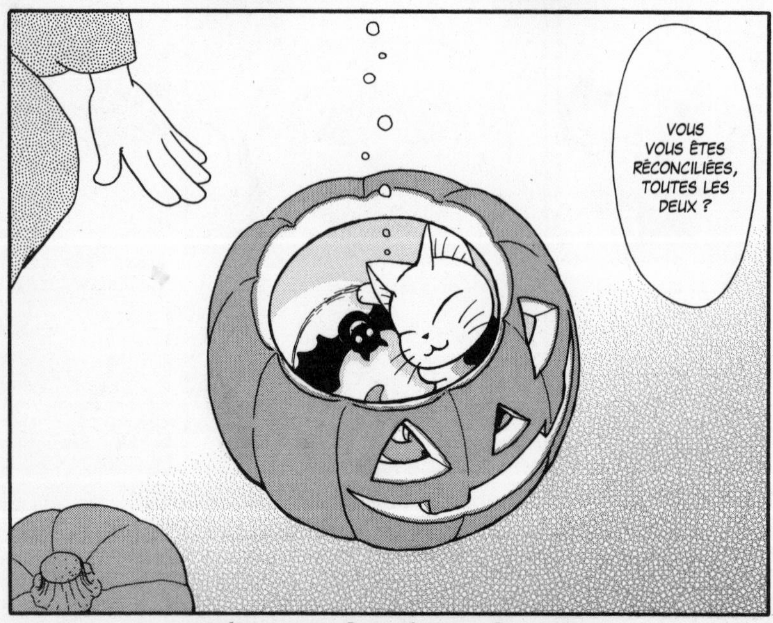

Halloween ? Quésaco ? – Fin

Choubi Choubi
mon chat tout petit
À moi ! ♡
CRUNCH
CRUNCH...

AAH...

MI ?

UN VRAI DÉLICE...
AAH...

MIAH !?!
MII !
MII !
QU'Y A-T-IL ?
GRAB
MIII ! MIII !
OH LÀ !
TU VEUX DU THÉ ?
GRI GRI GRI
MIIH !
TU VAS ME FAIRE RENVERSER !
D'ACCORD...
TIENS.
MI !

POFA
POFA
POFA

MIIIH !

MUNCH
MUNCH
MI ?

MUNCH
MUNCH
MUNCH
QUEL GOÛT MERVEIL-LEUX...

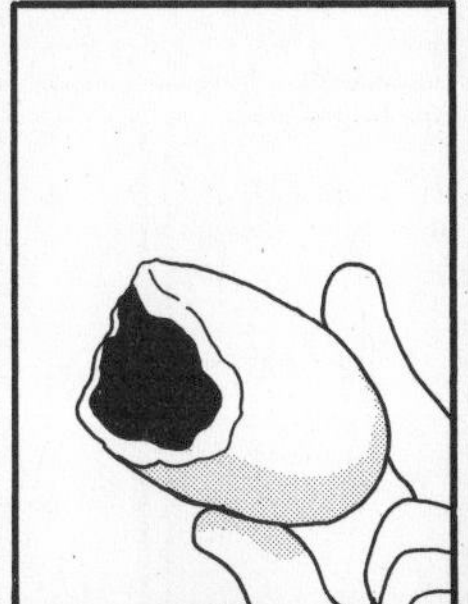

MIAH !?!

MII ! MII !
QUOI ?
TU VEUX GOÛTER ?
MAIS, C'EST UN GÂTEAU AUX HARICOTS ROUGES...

FROT
FROT
MIIH !

BON, TRÈS BIEN...

MIH !

MIAM !

MUNCH
MUNCH
MUNCH

PLAF
MI-
EUUURK
...

MIAH
!?!

MII ! MII !
MII !
PAS ÇA,
VOYONS !
TU N'AI-
MERAS
JAMAIS !

BAA
AVE

BON, SI
TU Y TIENS...

C'EST
DU RADIS
MACÉRÉ.
MIH !
CRUNCH
CRONCH
PLAF
MIII...
MI ?
MIAAAH
!?!

MIAM
MI ?
IRK
MAIS ENFIN, C'EST UN PORTE-CLEFS, ÇA...
...
RIEN NE VAUT TON REPAS HABITUEL, HM ?
MIIH !
CRUNCH
CRUNCH
CRUNCH
CRUNCH
CRUNCH

À moi ! ♡ – Fin

Et soudain, une table chauffante

UNE !
DEUX !
DEUX !
UNE !
MI ?
ET HOP !
ZOUUU
BAM
MIA-ARGH !
IIICK !
CETTE BONNE VIEILLE TABLE CHAUFFANTE NOUS TIENDRA BIEN CHAUD...
Huf
Huf
Huf
MI ?
FLIPI
FLIPI

FLIPI
FLIPI
FLIPI
FLIPI
MI ?
IL SUFFIT D'ENFONCER LA PRISE... LÀ.
Huf
Huf
Huf
MIA-AARGH !!!
RK !
MI ?
POF
Huf
Huf
Huf

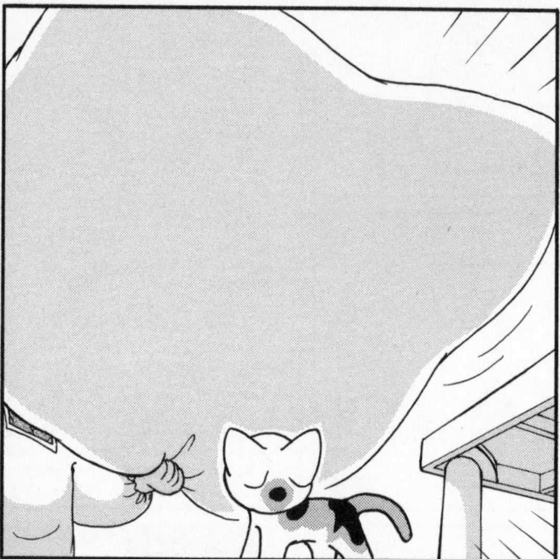

MIHII... !

MIIA-
AAAH
!!!
DAAAASH

POF

TADAAAM

CHOUBI-
CHOUBI !
LA TABLE
CHAUFFANTE
EST PRÊTE !

MAIS ?

Huf
Huf
Huf
CHOUBI-CHOUBI ! VIENS VOIR !
Huf
ZOUIP
!
PFFT !
WOOH
WOOOH
WOOOH
WOOOH
BRR
BRR
BRR
BRR
WOOOH
WOOOH
WOOOH
WOOOH
BRR BRR BRR
MI...

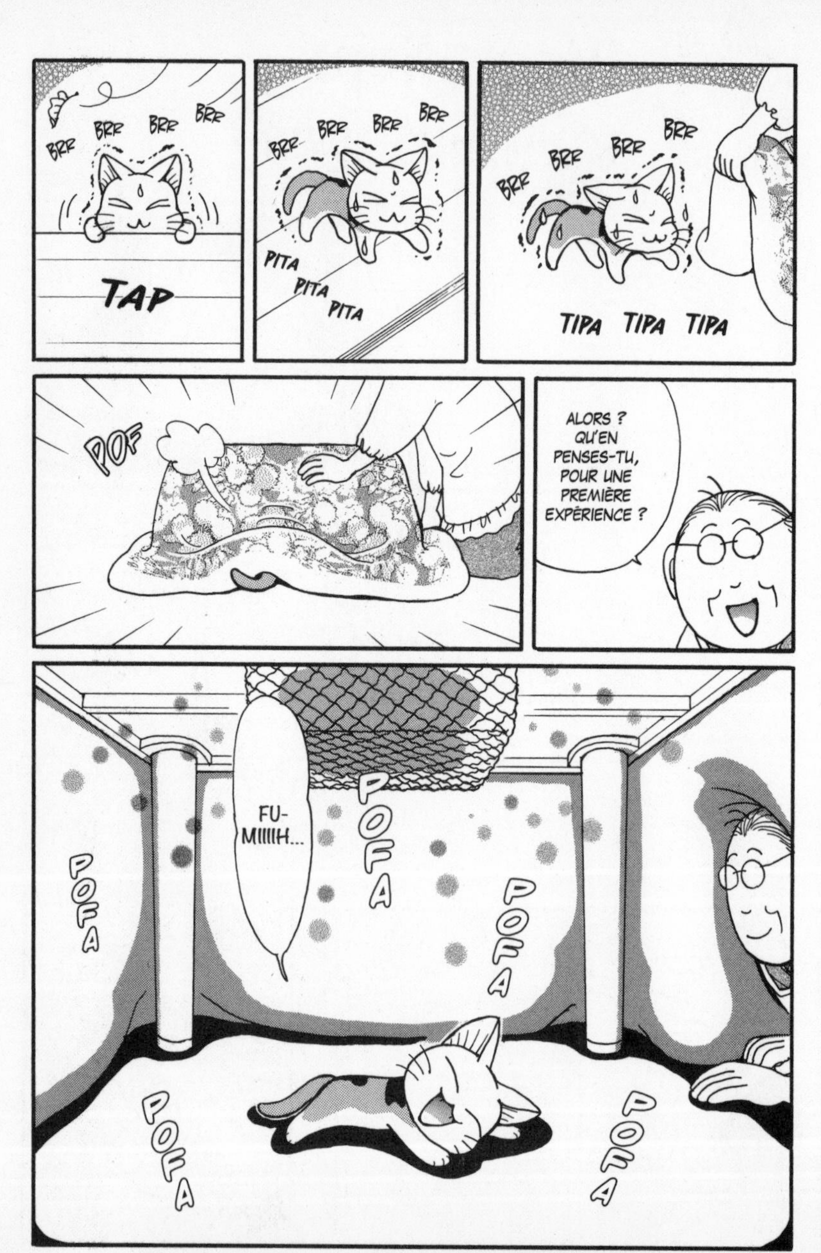

Et soudain, une table chauffante – Fin

Décorations multi-usages

OH ?
MIIH !
DAASH
MI !
HOP
GRIP
BONK
ROLL
ROLL
ROLL
MII !
PAF
PAF
PAF
ROLL
ROLL
ROLL
ROLL
ROLL
ROLL
PAF
PAF

SCRATCH
SCRATCH
SCRATCH

EH BIEN, JE TE LA LAISSE.

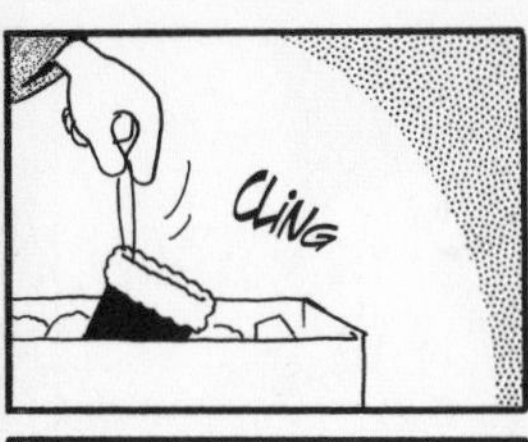
CLING

MI ?

MIAH !

MII !
DAAASH

GRIP

MUNCH
MUNCH
MUNCH

BON, JE TE LAISSE CETTE BOTTE AUSSI...

FRISHA

MI ?

MIAH !

MI HIII !
DAASH

GRIP

TU ACCOURS À CHAQUE FOIS, DIS DONC !

FRISHA
FRISHA
FRISHA

FRISHA
FRISHA
FRISHA

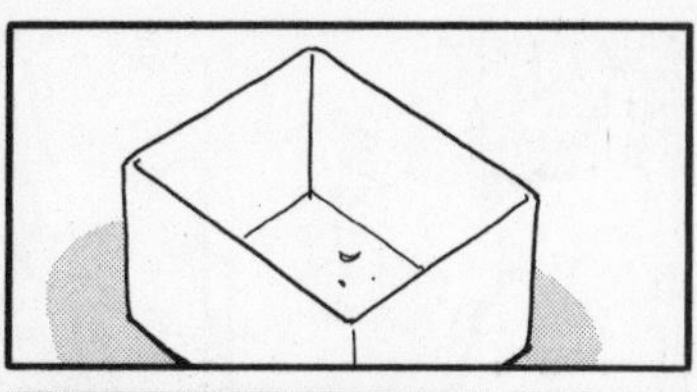

IL LUI MANQUE PAS MAL DE CHOSES, MAIS...

NOTRE SAPIN DE NOËL EST FIN PRÊT !
MI ?

MIAH !

Décorations multi-usages – Fin

Choubi Choubi
mon chat tout petit

GRi
GRi
GRi
GRi

Choubi Choubi
mon chat tout petit
Une nuit glaciale
FUAAH
FUAAH
ON
OFF
POFA
POFA
POFA
POFA
CLIC
ON
OFF
MI !?!

SUIS-MOI, CHOUBI-CHOUBI.
QUEL FROID DE CANARD...
TAP
TAP
TAP
TAP

BRR
BRR
MII...

FRISH
FRISH
FRISH

BRR

BRR
BRR
BRR

BRR
MIIIH
...
BRR

BRR
BRR
BRR

MI !
BRR

MIIH...
BRR
BRR
BRR

BRR
BRR
BRR
BRR

BRR
BRR

MI !
BRR
BRR

FRISH
FRISH

POFA

MIAAH ...
POFA
POFA
ZZ...
ZZ...
ZIP...
PAF
MIGH !?!
POUET
MII !!!
...
BRR
BRR
BRR

MI-
HII...
BRR
BRR
BRR
BRR

BRR
BRR
BRR

J'AI SI
FROID...
BRR
BRR

ZOU

MI ?

MIH !
BRR
BRR
BRR

Une nuit glaciale – Fin

Qui dit "Nouvel An", dit...

Tout frais
MII !
PIF
PIF
PIF
POC
ROLL ROLL
Nouvel an
Nouvel an
MI ?
Nouvel an

Nouvel an

POUITCH
POUITCH
Nouvel

PROTCH
PROTCH

MIHI !
Nouvel

PFF.
CLANG

Hmm...
Nouvel an
Nouvel an
CELLE-LÀ N'EST PAS TROP MAL, JE TROUVE...

MI ?
SPLASH
SPLASH
!
MII !
ZIP
ZIP
ZIP

FROT
FROT
FROT

MIAAH !
FROT
FROT
ZIP
ZIP
HM ?

!?!

!

MI-
SÈRE !
UN
CHIFFON,
VITE,
VITE !!!
AH, ÇA
FERA
L'AFFAIRE
!

CHOUBI-
CHOUBI !
HOP

POF

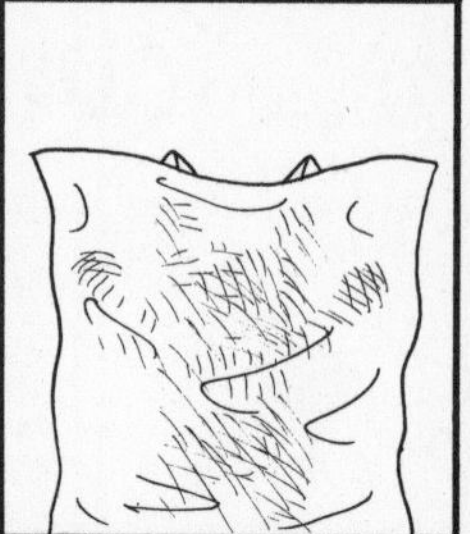

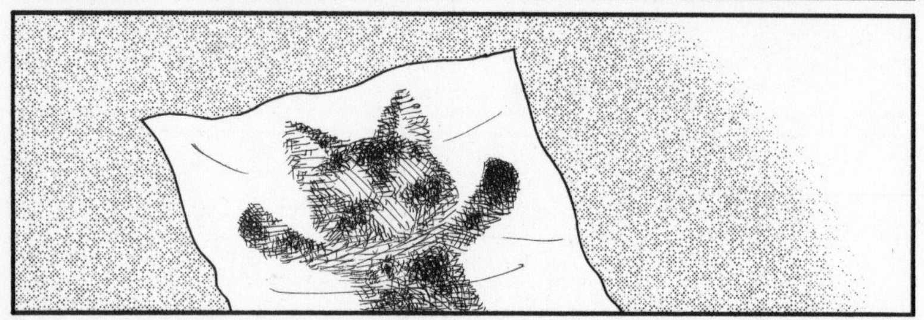

Qui dit "Nouvel An", dit... – Fin

Allez, jouons !

GRAB
!
SNIF SNIF SNIF

MII !
PIF PIF
FIXE

ZOUIP

GRUMPF
GRUMPF

MIH !
MIH !
MIH !

MI ?

!

MIA !
MIA !
BOING
BOING
MIAH !

SNIF

SNIF
SNIF
SNIF
SNIF
SNIF
SNIF
SNIF
SNIF
SNIF

ZOUIP
ZOUP
PFF

GRUMPF
GRUMPF
GROMPF
GROMPF
PFFT

GRR

VROOOM
MIIH !
VROOOM
BOING BOING BOING
MIIH !
MIIH !
ROLL
ROLL
ROLL

Huf
Huf
ROLL

Huf
Huf
Huf

MI !
HOP

FUAAAH...
SLURP
SLURP
ZZ...
ZZ...

FLAP
FLAP
FLAP

MUUU...

WOOOH

MI!

MI?

Allez, jouons ! – Fin

Sa première neige

MII !
PIF PIF
Pi...
MI !?!
RIEN
MI ?
ZYEUTE
MI ?
ZYEUTE
MIAA ?

AH !
FLAA
FLAA
HOP !
MIH !
PAF
GNIIHII !
TADAA !
MI !?!
RIEN

Miii !
Miii !
HOP
PAF
HOP
PAF
Miii !
PAF
HOP
PAF
Miii !
HOP
RIEN
Huf
Huf
Huf
Huf
Huf
MUUU...
...

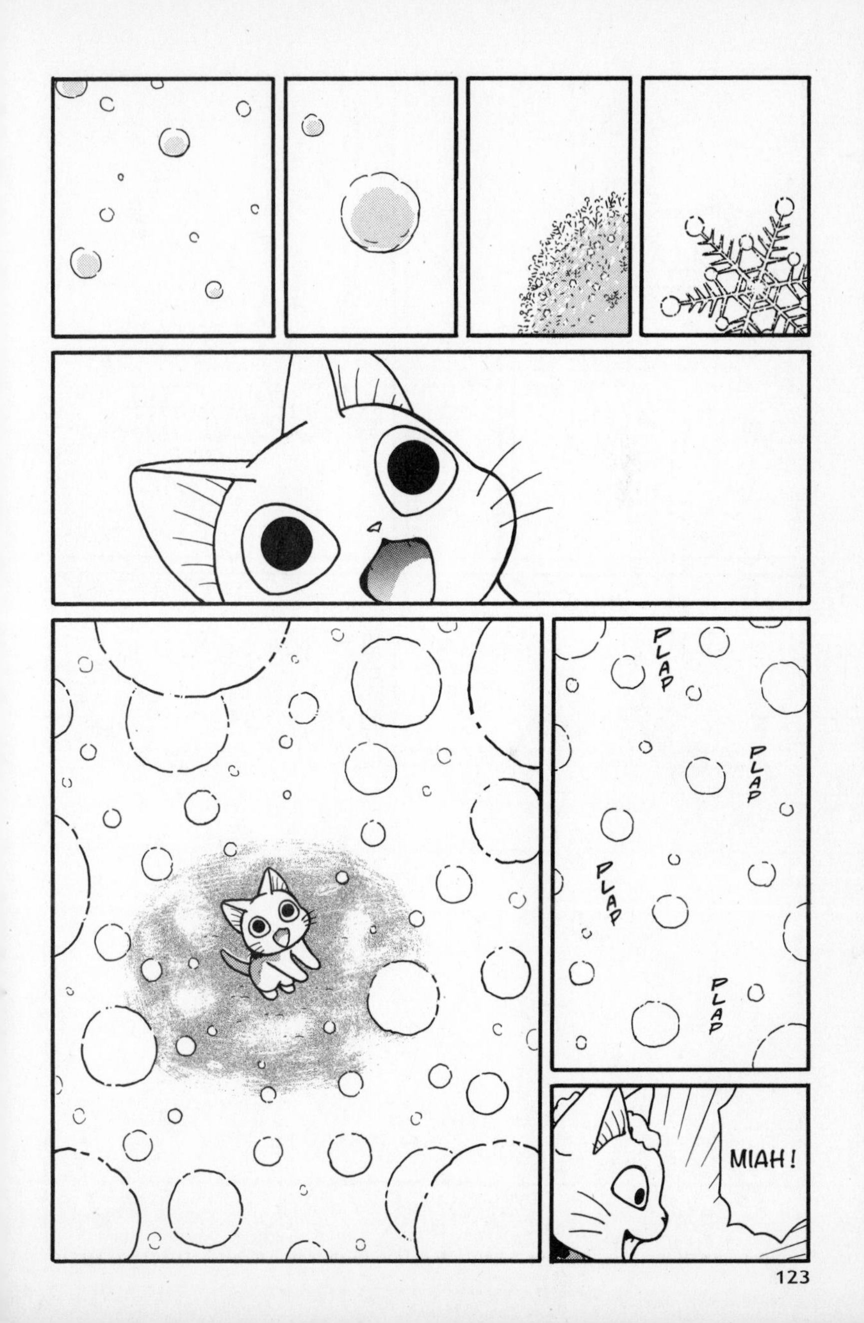
PLAP
PLAP
PLAP
PLAP
MIAH !

Sa première neige – Fin

Choubi-Choubi au Pays des Merveilles

TROT
TROT TROT
OOH!
MII!
VROOOM
BOING
MI!
BOING
ZOUIII
MIAAH!
MI!?!

FLAP
FLAP
FLAP
FLAP

POF

MIAAH !

MUNCH
MUNCH

MUNCH
MUNCH
MUNCH

MUNCH
MUNCH
MUNCH

MI !?!

Toute rikiki !
MIIII !
TAP TAP TAP
MI !?!
BOOH
GNi
GNi
GNi
AAH...
MIHI !
FRISH
FRISH
!
CLING

VROOOM
VROOOM
VROOOM
MII !!!
Huf
Huf
Huf
TU AS SOIF, CHOUBI-CHOUBI ?
!
MIIH !
SLURP
SLURP
SLURP
SLURP
SLURP
MIA !?!

Choubi-Choubi au Pays des Merveilles - Fin

Choubi Choubi
mon chat tout petit
N'abandonne jamais
HU HU...

MIIH !
MIIH !
HM ?
ZOUIP
MI !
DASH

ZOUIP

?
VRO
MIAAH !
OOM

MUU...

TAP TAP TAP

TCHIC
TCHIC

MIIH !
HOP-LÀ...

MIIH !
MIIH !
MIIH !

MIIH !
MIIH !

QU'Y A-T-IL, CHOUBI-CHOUBI ?

MI !

DASH

?
MIAAH !
VROO...OOM

ZOUIP

BON...

MUUU...

MIIH !
GRICH
GRICH
GRICH
MIIH !
MIIH !
GRICH
BADOM
TACA
TACA
MIIH !
MAIS, QU'EST-CE QU'IL TE PREND ?
MI !
DASH
VROOOOM
MIAAH !
MII !
MII !
MII !
NE GRIMPE PAS SI HAUT, C'EST DANGEREUX !
ZOU
MI !
HOP

TAP
POF
TONK
MIAAH !
VROOOM
MII !
TROT
TROT
TROT
MII !
TU VOUDRAIS JOUER À CHAT ?
MII !
MII !
TCHAC
TCHAC
MII !
MII !
ZOUIP
MI !
DASH

N'abandonne jamais – Fin

Les vertus de la table chauffante

ET HOP !
MIIIIH !
PEUT-ÊTRE FAUDRAIT-IL SONGER À RANGER LA TABLE CHAUFFANTE...
OU DEVRAIS-JE LA LAISSER ENCORE UN PEU ?
HOP.
BRR
BRR
BRR
BRR
BRR
BRR
MI !
FRASH
FRASH
BIEN.
LA LESSIVE, MAINTE-NANT.
LESSIVE

ZOU.
HOP
ZOU.
HOP
HOP
ZOU.
ET ZO...
GNI
AAAH !
TE VOILÀ, TOI !
VA-T'EN.
ALLEZ ! OUSTE !
BRR
BRR
BRR
MI !

FRASH
FRASH

BONJOUR MADAME ! JE VIENS POUR LE PAIEMENT DE VOTRE ABONNEMENT AU JOURNAL ...
OUI, OUI, TOUT DE SUITE !

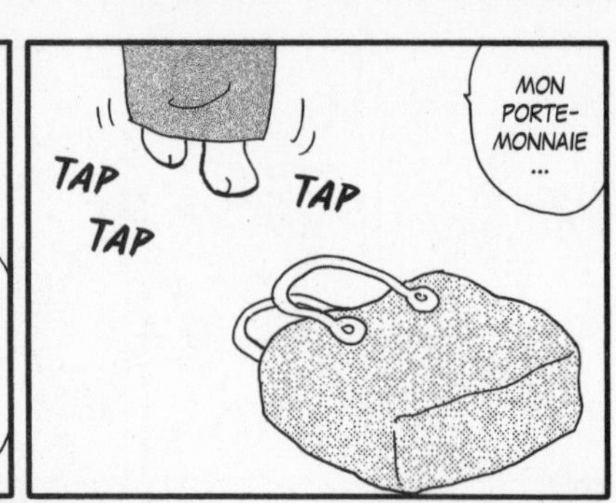
TAP
TAP
TAP
MON PORTE-MONNAIE ...

IL DOIT ÊTRE...
FLAP

AAAH !

TE VOILÀ ENCORE !

NAVRÉE DE VOUS AVOIR FAIT ATTENDRE.
BRR
BRR
BRR

PFIOU
...

CHOUBI-CHOUBI ME SURPREND À CHAQUE FOIS...
ELLE APPARAÎT TOUJOURS LÀ OÙ JE NE L'ATTENDS PAS...
TAP
TAP
TAP

AH... !

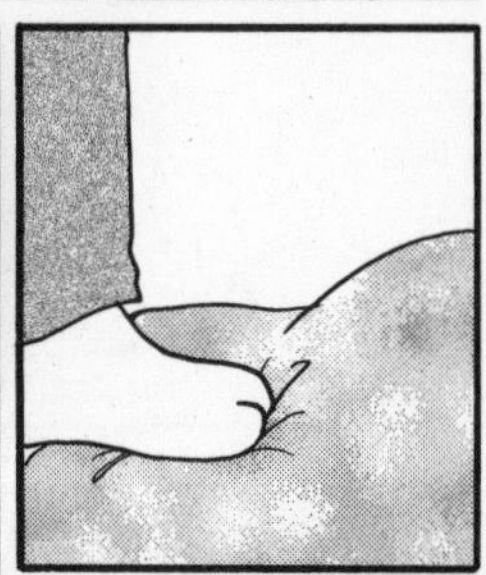

SUU...

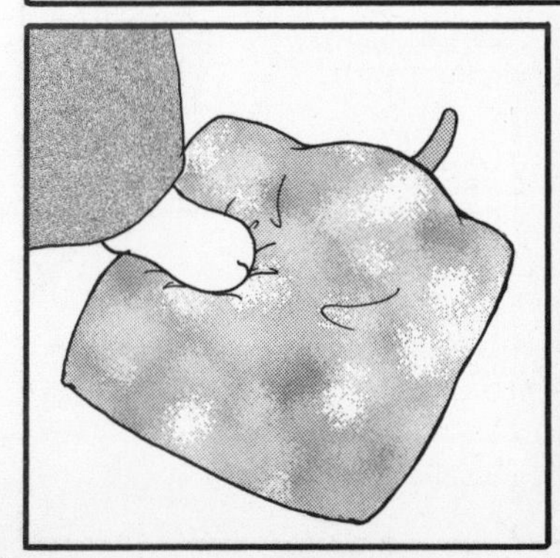

AAARGH
!!!

Les vertus de la table chauffante – Fin

Choubi Choubi mon chat tout petit

Vive les cerisiers en fleurs !

SNIF
SNIF
SNIF

FIIIIXE
PSHH
PSHH
PSHH
PSHH
MII !
TROT TROT TROT
TIENS, UN PETIT BOUT.
FIIIIXE
POULPE GRILLÉ
L'UNITÉ, 300 YENS
MI ?
CREATIVE

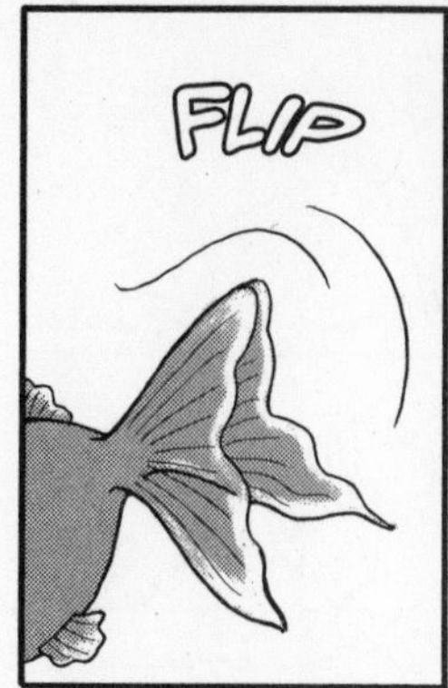
FLIP

FIIIXE

FIIIXE

AH ! UN CHAT !
ZIP !

MIHI !
TROT TROT TROT

MI ?

MIA !?!
BOING
FI
IXE
BADOM
BADOM
BADOM
BADOM
MI !!!
VROOOM
MIHII !
Huf
Huf
Huf
AH !

FLAP
FLAP
FLAP
VROOOOOM
MIIH !
QUELLE FLORAISON MAGNIFIQUE.
CHOUBI-CHOUBI !
ÇA ALORS !

Vive les cerisiers en fleurs ! – Fin

Comme chien et chat

IIICK !
MI ?
?
?
MI ?
SLUUURP
SHHAA !

PFFF !
KAÏ !
DAASH
HOP
GNÉ HÉ
WAH! WAH!
MI?
TIENS DONC !
TU AIMES LES CÂLINS ?
!
OUAP !
TADAA !
WAH! WAH!
GRRR

TU VOUDRAIS MONTER SUR MES GENOUX, TOI AUSSI ?
MIAAH !
BOING
BOING
MIAAH !
BOING
BOING
MI ?

DASH
WAOUF !

VROOOOOOM
WOUF ! WOUF !
MIII !

VROOOOOOM
MII-HII !
WOUF ! WOUF !

MIAAH !
PSSHAA !

WOUF ! WOUF !
MIIH !

WOUF ! WOUF !
MIIH !

WOUF ! WOUF !
MIIH ! MIIH !
FLAPA FLAPA
WOUF ! WOUF !
TAPA TAPA
MII-HII !

MERCI BEAUCOUP, MADAME !
WOUF ! WOUF !
MERCI À TOI, CHOUBI-CHOUBI !
ET PARDON DE NE PAS T'AVOIR CÂLINÉE...

Comme chien et chat – Fin

Choubi Choubi
mon chat tout petit

Mon Choubi-Choubi

Annonce Spéciale

**Grand prix :
la photo de votre chat dans le prochain tome de "Choubi-Choubi, Mon Chat tout Petit" !**

J'AI ENVOYÉ MA PARTICIPATION. QUE SE PASSE-T-IL ENSUITE ?

MIAOU ! L'ÉQUIPE ÉDITORIALE FRANÇAISE PROCÉDERA À UNE PRÉSÉLECTION DE VOS PHOTOS QUI SERONT ENVOYÉES AU JAPON OÙ L'AUTEUR, KONAMI KANATA ET L'ÉQUIPE ÉDITORIALE JAPONAISE ÉLIRONT 8 VAINQUEURS. UNE FOIS LE GRAND GAGNANT ANNONCÉ, VOTRE CHAT FERA UNE APPARITION DANS LE VOLUME 2 DE "CHOUBI-CHOUBI, MON CHAT TOUT PETIT" QUI PARAÎTRA LE 9 MARS 2016 ! LE GRAND GAGNANT AURA DROIT À UNE FICHE DE PRÉSENTATION EN PLEINE PAGE AVEC SA PHOTO ♪ !
LES SEPT AUTRES PARTICIPANTS SÉLECTIONNÉS AURONT ÉGALEMENT DROIT À LA PUBLICATION D'UNE FICHE DE PRÉSENTATION AVEC PHOTO !

MON CHAT EST DÉJÀ ADULTE, PUIS-JE PARTICIPER QUAND MÊME ?

BIEN SÛR ! NOUS ACCEPTONS AUSSI LES CHATS ADULTES ! LES BEAUX COMME LES MOINS BEAUX, LES JOUEURS, LES FIERS, LES PELUCHEUX OU NON... NOUS ESPÉRONS RECEVOIR PLEIN DE PHOTOS DIFFÉRENTES ! ♥

RÈGLEMENT

Pour participer au concours, envoyez la photo de votre chat, une courte description ainsi que votre prénom, nom, adresse, adresse e-mail, âge et l'autorisation parentale ci-dessous si vous êtes mineur, à l'une des adresses suivantes :

concours@groupedelcourt.com

ou

Concours photo "Mon Choubi-Choubi" - Editions Soleil Manga
8 rue Léon Jouhaux - 75010 Paris

Date limite : 14 décembre 2015 à minuit (cachet de la Poste faisant foi)

Jury : Konami Kanata, l'équipe éditoriale japonaise, l'équipe éditoriale française

Publication des résultats : les 8 vainqueurs seront annoncés dans le volume 2 de "Choubi-Choubi, Mon Chat tout Petit" qui paraîtra le 9 mars 2016.

Autorisation parentale à photocopier ou recopier:

Je soussigné ....

J'autorise mon enfant ....

à participer au *Concours photo mon Choubi-Choubi* et j'accepte le règlement du concours.

Fait à, le : Signature :

Règlement déposé chez huissier et disponible ici :
http://www.soleilprod.com/pdf/concours_choubichoubi_reglement.pdf

ENVOYEZ-NOUS VOS PLUS BELLES PHOTOS ♪ !

J'AI HÂTE DE VOIR À QUOI RESSEMBLENT VOS CHATS ♡. J'ATTENDS AVEC IMPATIENCE VOS PARTICIPATIONS !

Voici Pi, le chat de Konami Kanata ♡.

Ce genre de photos, où l'on voit bien le pelage, sont parfaites !

KONAMI KANATA

Extrait du règlement du jeu concours déposé à la société civile professionnelle Marc Chouraqui – Guy Nocache – Laurent Fourrier – Huissiers de Justices Associés, 41 allée de la Toison d'Or, 94000 Créteil.

LE QUOTIDIEN DE CHOUBI-CHOUBI DEVENUE ADULTE
Choubi-Choubi
Mon chat pour la vie
Une Choubi-Choubi adulte qui s'est forgé sa propre philosophie
Une vie tranquille et douillette auprès d'une mamie sympa.
ET TOUJOURS CHOUBI-CHOUBI BÉBÉ DANS LE TOME 2 DE "CHOUBI-CHOUBI, MON CHAT TOUT PETIT" DISPONIBLE LE 9 MARS 2016 !
ÇA CONTINUE !

en fière d'elle !
Floop
Douce et chaude !
Pomf
POURQUOI NE PAS REJOINDRE CETTE BONNE MINETTE BIEN DODUE ET VOUS RELAXER AUPRÈS D'ELLE ?
Détendue !
Boof
Miaah...
KONAMI KANATA
Choubi Choubi
Mon chat pour la vie
1
SOLEIL MANGA
Visuel provisoire
TOURNEZ LA PAGE POUR VOIR UN EXTRAIT.
Une série en 8 volumes !
Tome 1 disponible le 9 mars 2016 !

ZOUIP

PITA
PITA
FRISH
FRISH

FLOP

JE NE VOIS PLUS MON LIVRE, ENFIN !

RON
RON
RON

JE ME TROMPE, OU TU PRENDS PLUS DE PLACE QU'AVANT... ?
MROW ?
RON
RON

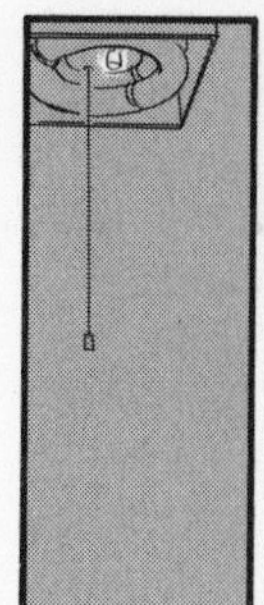

PITA
PITA

FRISH
FRISH
Pyuuu...

UUH
...

De tout son poids
UURGH
... !

MIH
?
ZOU

À suivre...

Écrivez-nous à :
Soleil Manga
8, rue Léon Jouhaux
75010 PARIS
manga@soleilprod.com

Titre original : Fuku Fuku funya-n koneko da nyan, tome 1

First published in Japan in 2014 by Kodansha Ltd., Tokyo
Publication rights for the French edition arranged through Kodansha Ltd. Tokyo.

Éditions Soleil
15, bd de Strasbourg
83000 Toulon - France
Conception et réalisation graphique : Studio Soleil
Traduction : Sophie Piauger
Lettrage : Studio Charon
Dépôt légal : Novembre 2015
ISBN : 978-2-30204-820-1
Impression : Ercom - Italie